Ma petite Bible

Kenneth N. Taylor

Illustré par Nadine Wickenden

et Diana Catchpole

HURTUBISE
HMH

Concepteurs   Peter Bailey et Ann Salisbury
Directeur artistique délégué   Mark Richards
Directrice d'édition   Sarah Phillips
Directeur artistique   Jim Bolton
Éditrices   Claudia Volkman et Betty Free
Responsable de l'édition   Dave Barrett
Traduction   Sylvie Margot
Maquette   Fredy Boesch

Copyright texte © 2000
Tyndale House Foundation

Copyright © 2000 Dorling Kindersley
Limited, London

Copyright © 2001 Dorling Kindersley
Limited pour la traduction française

Copyright © 2001 Éditions Hurtubise HMH
pour l'édition en langue française au Canada

Édition originale publiée aux États-Unis en 2000
par Tyndale House Publishers, Inc.
351 Executive Drive
Carol Stream, Illinois 60188 USA

Édition originale publiée en Grande-Bretagne en
2000 par Dorling Kindersley Limited
9 Henrietta Street, London WC2E 8PS

Éditions Hurtubise HMH ltée
1815, avenue De Lorimier
Montréal, (Québec) Canada
H2K 3W6
Téléphone: (514) 523-1523 /
Télécopieur: (514) 523-9969
www.hurtubisehmh.com

Dépôt légal: B.N. Québec 1er trimestre 2001
               B.N. Canada 1er trimestre 2001

ISBN 2-89428-480-2

Imprimé et relié en Chine par L. Rex Printing Co., Ltd.

Cher enfant,

Ce petit livre contient de belles histoires de la Bible. C'est très important de connaître ces histoires, parce que la Bible est le livre de Dieu. Elle nous dit comment Dieu veut que nous vivions et ce qu'il désire que nous fassions.

Pourquoi ne pas lire un ou plusieurs de ces récits chaque jour? Peut-être sais-tu déjà lire. Sinon, tu peux demander à quelqu'un de te faire la lecture. À la fin de chaque histoire, une question t'est posée. Elle devrait t'aider à réfléchir à ce que le récit veut dire. Après avoir lu une histoire, tu peux parler à Dieu. Tu peux lui dire que tu l'aimes. Tu peux lui dire tout ce que tu désires qu'il sache.

Demande l'aide de Dieu chaque jour. Demande-lui d'être avec toi tout le temps. Demande-lui de t'aider à être obéissant envers lui et envers tes parents. Et rappelle-toi toujours combien il t'aime!

Kenneth N. Taylor

Au commencement, seul Dieu était là.

Dieu a créé le monde entier.

Dieu a créé l'eau et le ciel.
Il a créé les fleurs et les arbres.
Il a placé le soleil dans le ciel.
Il a créé les poissons
et les oiseaux.

Tout était bon.

GENÈSE 1

*Nomme quelque chose que
Dieu a créé.*

7

Ensuite, Dieu
a créé des gens.
D'abord il a fait
un homme
appelé
Adam.

Dieu
a placé Adam
dans un joli jardin appelé
le jardin d'Éden.

Il a demandé à Adam de donner
des noms à tous les animaux.
Puis Dieu a créé la première
femme, Ève. Elle est devenue
la femme d'Adam.

Ils étaient très heureux.

GENÈSE 1-2

Quel travail Dieu a-t-il donné à Adam ?

Adam et Ève ont désobéi
à Dieu. Alors Dieu les
a chassés du joli jardin.

Quel
triste jour !

Adam et Ève n'ont
jamais pu retourner
au jardin d'Éden.

Des anges avec une épée
enflammée les en
empêchaient.

GENÈSE 3

Pourquoi Adam et Ève ont-ils quitté le jardin ?

11

Caïn et Abel étaient deux frères.
Leurs parents étaient Adam et Ève.

Abel aimait Dieu et lui obéissait,
mais pas Caïn. Il était en colère et
a tué Abel. C'était très mal,
et Dieu était très triste.
Le reste de la vie de Caïn
a été dur et difficile.

GENÈSE 4

*Qu'est-ce que Dieu ressent
quand tu ne lui obéis pas ?*

Dieu a dit qu'il pleuvrait jusqu'à ce qu'il y ait de l'eau partout.

Noé a cru Dieu.

Dieu a dit à Noé de construire un grand bateau. On l'a appelé une arche.

Noé a obéi à Dieu. Les trois fils de Noé l'ont aidé à construire le bateau sur un terrain sec.

Dieu a promis de garder Noé et sa famille à l'abri de l'eau.

GENÈSE 6

Comment a-t-on appelé le bateau de Noé?

15

Finalement le grand bateau a été prêt.

Alors Dieu a dit :
« Noé, emmène
deux animaux et
deux oiseaux de
chaque espèce
avec toi. »

Chacun est entré
dans l'arche.
Puis Dieu a fermé
la porte.
GENÈSE 7

*Pourquoi Dieu
voulait-il que les
animaux et les oiseaux
aillent sur le bateau ?*

17

Noé et sa famille étaient en sécurité dans l'arche.

Alors il a commencé à pleuvoir.

Il a plu et encore plu.
L'eau a recouvert
toute la terre. Mais
dans l'arche,
c'était sec.

GENÈSE 7

Où était-on en sécurité et au sec?

19

Quelles belles couleurs dans le ciel !
C'est un arc-en-ciel. Dieu l'a placé là
pour se rappeler qu'il a promis
de ne plus jamais
recouvrir
la terre
d'eau.

Noé est sorti de l'arche avec sa famille et les animaux. Il a remercié Dieu de les avoir protégés.

GENÈSE 8-9

À quoi sert l'arc-en-ciel?

Des gens ont essayé de construire une tour qui touche le ciel. Ils voulaient montrer comme ils étaient forts.

Cela ne plaisait pas à Dieu,
alors il les a arrêtés.
Il les a fait parler des langues différentes.
Ils ne pouvaient plus se comprendre !
Et ils ne pouvaient plus travailler
ensemble pour finir la tour.

GENÈSE 11

Pourquoi les gens voulaient-ils construire une tour ?

Abraham était
un ami de Dieu.

Dieu a dit à Abraham et à sa femme Sara
de déménager dans un autre pays. Il leur a promis
de bonnes choses. Abraham a obéi à Dieu.

Il savait que Dieu voulait l'aider,
et il n'avait pas peur.

GENÈSE 12

Pourquoi Abraham n'avait-il
pas peur?

25

Abraham habitait près de son neveu Lot.
Tous deux possédaient beaucoup
de vaches et de moutons.

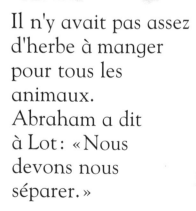

Il n'y avait pas assez
d'herbe à manger
pour tous les
animaux.
Abraham a dit
à Lot : « Nous
devons nous
séparer. »

Lot était égoïste,
et il a choisi la région
la plus riche
en herbe et
en eau.

GENÈSE 13

Vaut-il mieux se battre ou partager?

Sara et Abraham étaient tristes.
Ils n'avaient pas d'enfant.

Voilà longtemps, Dieu leur avait
promis un fils. Finalement, quand ils
étaient très vieux, leur bébé Isaac est né.
Alors Abraham et Sara ont été
très heureux.

GENÈSE 21

*Est-il facile pour toi d'attendre
des choses que tu désires?*

Isaac a grandi et
a épousé Rebecca.
Ils ont eu des fils
jumeaux.

Un jour, quand il a été grand,
leur fils Jacob est parti de la maison.
Il a dormi dehors, avec une pierre
comme oreiller !

Jacob a
rêvé que des
anges montaient et
descendaient des marches
venant du ciel. Dieu lui a dit:
« Je serai avec toi et
je prendrai soin
de toi. »
GENÈSE 28

*Qu'est-ce que Dieu a dit
à Jacob dans son rêve?*

31

Jacob et son frère jumeau Ésaü jouaient ensemble quand ils étaient petits.

Quand ils ont grandi, Jacob a joué un vilain tour à Ésaü.

C'est alors que Jacob a dû partir.

Bien des années plus tard, Jacob a dit à Ésaü
qu'il désirait être de nouveau son ami.
Ésaü a couru à sa rencontre,
et ils se sont embrassés.

GENÈSE 33

Est-ce que Jacob et Ésaü sont redevenus amis?

Jacob avait douze fils. L'un d'eux était Joseph.

Jacob aimait tellement
Joseph qu'il lui a donné
un cadeau spécial : un habit superbe.

Les autres fils de Jacob voulaient aussi de beaux habits. Ils se sont fâchés contre Joseph et ont été méchants avec lui.

GENÈSE 37

Pourquoi
les frères de Joseph étaient-ils fâchés contre lui?

Le bébé Moïse n'était pas en
sécurité. Alors sa famille
l'a caché dans
un panier.

Une princesse a découvert
le panier qui flottait
sur l'eau.

De méchants hommes voulaient tuer le bébé.

Dieu a envoyé la princesse pour qu'elle trouve le bébé Moïse et prenne soin de lui.

EXODE 2

Qui a protégé le bébé Moïse ?

37

Quand Moïse est devenu grand, il gardait des moutons.

Un jour il a vu un buisson en feu,
mais le buisson ne brûlait pas !
Dieu a parlé à Moïse depuis le buisson.
Il a dit : « Fais sortir mon peuple
d'Égypte. » Moïse ne croyait pas
qu'il pourrait le faire, mais Dieu
a promis de l'aider.

EXODE 3

Qu'est-ce que Dieu peut t'aider à faire ?

Le peuple de Dieu devait fabriquer des briques
en Égypte.

Pharaon, le roi d'Égypte, était très
méchant. Il disait à ses soldats de battre
le peuple de Dieu à coups de fouet pour
le faire travailler plus. Dieu a envoyé
Moïse demander à Pharaon d'arrêter
de frapper son peuple.

EXODE 5

Moïse a aidé les gens.
Comment peux-tu aider quelqu'un ?

Moïse a demandé à Pharaon
de laisser son peuple partir
dans un autre pays.
Mais Pharaon
n'a pas voulu.

Dieu a puni Pharaon en envoyant des grenouilles et des mouches dans les maisons des Égyptiens.

Malgré cela, Pharaon n'a pas laissé partir le peuple de Dieu. Alors Dieu a dit que le fils aîné de chaque famille allait mourir.

EXODE 7-11

Pourquoi Dieu a-t-il puni Pharaon?

43

Pharaon ne voulait toujours pas écouter, alors Dieu a fait ce qu'il avait dit. Mais Dieu a protégé son peuple. Ceux qui ont mis du sang d'agneau autour de leur porte ne sont pas morts.

On a appelé cette nuit la Pâque.

Finalement,
Pharaon a ordonné à Moïse
de partir avec le peuple de
Dieu. Cette nuit-là,
ils ont quitté l'Égypte.

EXODE 12

Comment Dieu protège-t-il ta famille ?

Le peuple de Dieu a suivi Moïse jusqu'à la mer Rouge. Ils ne savaient pas comment traverser. Dieu a dit à Moïse de lever son bâton.

À ce moment-là, Dieu a fait un chemin à travers l'eau pour que le peuple puisse passer à sec. Ils étaient sauvés !

EXODE 14

Comment Dieu a-t-il aidé son peuple ?

Le peuple de Dieu ne trouvait pas de nourriture.

Ils avaient très faim.
Du ciel, Dieu leur a envoyé
de petits morceaux de pain.

Chaque matin, il en envoyait assez pour la journée.

EXODE 16

Qu'est-ce que Dieu te donne à manger?

Le peuple de Dieu est arrivé à un endroit où il n'y avait pas d'eau.

Ils avaient soif. Moïse a demandé à Dieu ce qu'il fallait faire.

Dieu lui a dit de frapper un rocher avec son bâton. À ce moment-là, de l'eau est sortie, et il y en avait assez pour chacun !

EXODE 17

Rappelle-toi de remercier Dieu pour l'eau que tu peux boire !

51

Une armée
est venue pour
combattre
le peuple de Dieu.

Tant que Moïse
tendait son bâton vers
le ciel, le peuple de Dieu
gagnait. Mais ses bras
se fatiguaient.
Alors le frère et
un ami de Moïse
l'ont aidé.

Ils ont trouvé une pierre pour qu'il s'assoie.
Ils ont soutenu ses mains jusqu'au coucher du soleil.
Et le peuple de Dieu a gagné la bataille.

EXODE 17

*Comment peux-tu aider
ton frère, ta sœur ou ton ami ?*

53

Moïse est monté sur une haute montagne.
Là, Dieu lui a donné dix règles spéciales écrites
sur deux pierres. Dieu désirait que son peuple
sache comment lui obéir.

Une de ces règles est d'aimer Dieu.
Une autre est d'aimer ses parents et
de leur obéir. On les appelle les
dix commandements.

EXODE 20, 24

Comment s'appellent les règles données par Dieu ?

Pendant que Moïse était sur la montagne,
Aaron a fabriqué un veau avec l'or des bijoux
que chacun lui a apporté.

Le peuple a adoré
le veau comme s'il était
un dieu qui pouvait les diriger.

Cela a mis Dieu en colère. Mais Moïse lui a
demandé de leur pardonner.
Et Dieu l'a fait.

EXODE 31-32

Pourquoi Dieu était-il fâché contre son peuple?

Moïse a donné à son peuple les ordres de Dieu
pour faire le tabernacle. C'était une tente
spéciale où ils pourraient adorer Dieu.
Chacun a travaillé dur pour la finir.

EXODE 35-36

Où adores-tu Dieu ?

Le peuple a souvent changé
de place dans le désert.

Il se déplaçait quand
un nuage spécial sur le
tabernacle bougeait.

Dieu était dans le nuage,
et le peuple
le suivait.

EXODE 40

Dieu est aussi avec toi.
Remercie-le!

Moïse a envoyé douze hommes observer le pays
que Dieu avait promis de donner à son peuple.

À leur retour, Josué et Caleb ont dit
quel beau pays c'était.
Les dix autres hommes avaient peur
des géants qui y vivaient.
Mais Josué et Caleb savaient que
Dieu prendrait soin d'eux,
quelles que soient les difficultés.

NOMBRES 13-14

Quand tu as peur, que peux-tu faire?

Le peuple de Dieu avait peur. Des serpents
venimeux mordaient certains
d'entre eux.

Dieu a dit à Moïse de
fabriquer un serpent en métal et de le fixer
au bout d'une perche. Ceux qui avaient été
mordus pouvaient regarder le serpent
en métal. Alors Dieu les guérissait.

NOMBRES 21

Quand tu es malade,
qui peut te guérir?

Balaam faisait un voyage. Dieu a envoyé
un ange avec une épée pour l'arrêter.
L'ânesse de Balaam a vu
l'épée et a refusé
d'avancer.

Cela a mis Balaam en
colère et il a frappé l'ânesse.

Alors l'ânesse a parlé :
« Qu'ai-je fait ? »
a-t-elle demandé.

Finalement
Balaam a vu
l'ange et a écouté
le message
de Dieu.

Qu'est-ce que l'ânesse a vu la première ?

NOMBRES 22

À la mort de Moïse, Dieu a désigné Josué
comme nouveau chef. Il devait aider
le peuple de Dieu à traverser
un fleuve, le Jourdain.

Josué a dit aux hommes
qui portaient le coffre
avec les lois de Dieu
de passer en premier.

Quand ils
sont entrés dans l'eau,
elle s'est arrêtée de couler,
et chacun a pu traverser.

JOSUÉ 3

Comment Josué a-t-il aidé son peuple ?

Josué était le nouveau chef du peuple de Dieu.
Les ennemis ne voulaient pas les
laisser entrer dans la ville de
Jéricho. Mais Dieu a montré
à Josué comment faire.

Josué et le peuple ont marché
autour des murs de la ville.
Ils ont sonné du cor et poussé des cris.

Alors
les grands murs
se sont effondrés, et le
peuple de Dieu a pu entrer.
JOSUÉ 6

Comment Josué a-t-il pu entrer dans la ville ?

Cinq armées sont venues combattre
Josué et le peuple de Dieu.

L'armée de Josué gagnait.
Mais ils avaient besoin de plus
de temps. Alors Josué a prié :
« Que le soleil
s'arrête ! »

Et Dieu a arrêté le soleil au milieu du ciel.
Il n'a pas bougé un long moment.

Le peuple de
Dieu a gagné
la bataille.
JOSUÉ 10

Penses-tu que Dieu peut tout faire?

 73

Des milliers d'hommes voulaient combattre les ennemis du peuple de Dieu. Dieu a dit à Gédéon que son armée devait être petite.

Gédéon a amené ses hommes à la rivière. Dieu a choisi les 300 hommes qui buvaient dans leurs mains.

Courageux, Gédéon n'a pris que ces hommes-là,
et Dieu les a aidés à gagner le combat!

JUGES 7

Veux-tu que Dieu t'aide à être courageux?

Dieu a rendu Samson
très, très fort.

Il cassait les cordes qui l'attachaient.

Il a tué un lion de ses mains.

Il a renversé un grand bâtiment, qui s'est écroulé sur beaucoup d'ennemis de Dieu.

JUGES 14-16

Qui a rendu Samson fort ?

Job était
un homme bon.
Il aimait Dieu,
et Dieu l'aimait.

Mais Dieu a permis
qu'il devienne
très malade.

Il avait mal partout.

Mais Job a
continué
d'aimer Dieu,
même quand
il était
malade.

JOB 1

*Job a-t-il
arrêté d'aimer Dieu?*

Naomi était très triste parce que
son fils était mort.

Ruth a fait un long voyage
avec Naomi pour l'aider.
Dieu a béni les deux femmes.
Il était content parce que Ruth était
gentille avec Naomi.

RUTH 1

*Trouve quelque chose de gentil
que tu peux faire pour
quelqu'un de ta famille.*

Samuel était l'aide d'Éli.

Une nuit, Samuel dormait, et Dieu l'a appelé :
«Samuel ! Samuel !»
Samuel a cru que c'était Éli.

Finalement, Samuel a su que c'était Dieu qui l'appelait. Il a répondu : «Dis-moi ce que tu veux, et je le ferai.»

1 SAMUEL 2

Qui appelait Samuel?

Dieu a choisi Saül comme roi de son peuple.
Saül était fort et beau.
Mais il n'aimait pas Dieu.
Saül a fait le mal.

Dieu a dit qu'il ne pourrait
plus être roi. 1 SAMUEL 8

Qu'est-ce qui est le plus important:
être fort ou aimer Dieu?

85

David prenait soin des moutons de
son père.

Il les conduisait là
où il y avait la meilleure herbe.

Et David protégeait les moutons contre
les animaux sauvages · les lions et les ours.
David était un bon berger.

1 SAMUEL 16

Qu'est-ce qui faisait de David un bon berger?

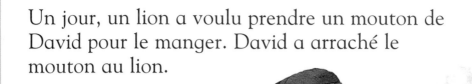

Un jour, un lion a voulu prendre un mouton de David pour le manger. David a arraché le mouton au lion.

Alors le lion a voulu manger David !

Mais Dieu a aidé David
à tuer le lion. David était
fort et courageux.

1 SAMUEL 17

Comment David protégeait-il ses moutons ?

Goliath était un ennemi de Dieu. Il mesurait près de trois mètres. Il disait qu'il tuerait ceux qui oseraient venir le combattre.

David n'avait pas peur de Goliath parce qu'il savait que Dieu était avec lui.

David a utilisé
sa fronde
et une pierre.

La pierre a
atteint Goliath
entre les yeux et
l'a tué.

1 SAMUEL 17

*Pourquoi David
n'avait-il
pas peur ?*

Après que David a tué Goliath,
chacun l'a félicité de
son courage.

Un de ses nouveaux amis était
Jonathan, le fils du roi.
Il aimait tant David qu'il lui a donné
son habit et son épée.
David et Jonathan étaient
de très bons amis.

1 SAMUEL 18

As-tu un très bon ami?

Le roi Saül voulait
tuer David.

Un jour,
le roi et ses
soldats
cherchaient
David,
mais ils ne
le trouvaient
pas.

Dans la nuit,
pendant que
Saül dormait,
David est venu
prendre sa lance.
Mais il ne l'a pas
frappé, parce que
Dieu avait
choisi Saül
comme roi.

1 SAMUEL 26

Pourquoi David n'a-t-il pas frappé le roi?

Un jour où David gardait les
moutons de son père,
Samuel l'a fait venir.
Quand David est arrivé,
il a vu son père
et ses frères.

Samuel leur parlait.
Il disait que Dieu voulait David
comme nouveau roi.

Quelle surprise pour David
et sa famille !
1 SAMUEL 16

Quelle était la surprenante nouvelle de Samuel ?

Le roi Saül a été tué dans une bataille.
David est devenu le nouveau roi.

Il voulait que le coffre avec
les règles de Dieu
soit près de lui.
Alors des hommes ont apporté
ce coffre dans la ville de Jérusalem.
David et tout le peuple
ont fêté cela
en chantant et en dansant.

2 SAMUEL 6

As-tu une Bible ?
Alors les règles de Dieu sont près de toi !

Un jour, le roi David a vu une belle jeune femme.
Elle prenait un bain près de son palais.
David la désirait pour lui, aussi il a fait
une chose terrible.

David a dit à ses hommes de faire tuer le mari de la femme. Dieu a été en colère, et il a puni David.

Mais Dieu a continué d'aimer David.

2 SAMUEL 11-12

Quand tu fais quelque chose de mal, est-ce que Dieu t'aime encore?

Absalom voulait être roi
à la place de son père David.
Un jour, Absalom
montait son âne.

Mais ses cheveux
sont restés pris dans
les branches d'un arbre.

L'âne a continué, et
Absalom est resté
pendu à l'arbre.
C'est là que
les soldats de David
l'ont trouvé.

2 SAMUEL 18

Pourquoi Absalom était-il pendu?

 103

Salomon était un autre fils du roi David.
Il montait sa mule.

David avait ordonné cela
pour que le peuple sache
que Salomon serait le nouveau roi.
Un homme de Dieu a versé de l'huile
sur la tête de Salomon pour montrer
que cela plaisait à Dieu.
Beaucoup de gens jouaient de
la musique joyeuse. Ils priaient pour que
Salomon vive longtemps.

1 ROIS 1

*Pourquoi Salomon montait-il
la mule du roi David?*

Salomon a demandé à Dieu
de l'aider à être un bon roi,
et Dieu lui a donné la sagesse.

Un jour, deux femmes
sont venues vers le roi.
Elles voulaient le même bébé.
Salomon était un sage.

Il a dit que celle qui aimait
le bébé pourrait l'avoir.
Il savait que cette
femme-là était
la vraie maman
du bébé.

1 ROIS 3

Que signifie être un sage ?
Qui peut te rendre sage ?

Le roi Salomon a construit un temple. C'était un magnifique bâtiment où les gens adoraient Dieu.

Salomon y a parlé à Dieu. Il l'a remercié et l'a loué parce qu'il est si grand et si bon.

Salomon a demandé à Dieu de toujours écouter ses prières et d'y répondre.

1 ROIS 6, 8

Où adores-tu Dieu ?
Que lui dis-tu ?

Salomon a été un bon roi tant
qu'il a obéi à Dieu.
Mais il a commencé à prier
des animaux en or ou en argent,
et même en pierre !

Ces faux dieux pouvaient-ils répondre à
ses prières ? Pas du tout.
.Notre vrai Dieu était fâché
de ce que Salomon faisait.
Il a dit qu'il donnerait le royaume
de Salomon à quelqu'un d'autre.

1 ROIS 11

Pourquoi Dieu était-il fâché contre Salomon ?

Élie était un homme de Dieu. Il a dit au roi
que pendant longtemps il ne pleuvrait pas,
à cause du mal que le roi faisait.

Dieu voulait qu'Élie
soit en sécurité.
Il lui a dit où se tenir
caché du roi.
Là, il trouverait
de l'eau à boire.

Dieu lui a
envoyé des oiseaux
avec de la nourriture
dans leur bec.

1 ROIS 17

Peux-tu faire confiance à Dieu
pour te donner à manger et
à boire?

113

Élie voulait que chacun sache que Dieu répond aux prières.

Alors il a demandé à des gens de verser beaucoup d'eau sur du bois et des pierres. Puis il a demandé à Dieu d'envoyer du feu du ciel.

L'eau éteint toujours le feu. Mais le feu que Dieu a envoyé a brûlé l'eau.

1 ROIS 18

Parle d'une fois où Dieu a répondu à tes prières.

Dieu voulait qu'Élie vive pour toujours avec lui au ciel. Alors il a envoyé des chevaux de feu pour emporter Élie vers lui.

Les chevaux tiraient un chariot de feu. Élie est monté sur le chariot pour aller au ciel.

Élisée, le nouvel homme de Dieu, le regardait partir.

2 ROIS 2

Tu connais quelqu'un qui est au ciel.
Son nom est Jésus !

Une maman avec deux fils
n'avait pas d'argent,
mais elle avait
un vase d'huile.

Élisée a dit : « Demande beaucoup de vases vides
à tes amis. Remplis-les avec l'huile de ton vase. »

La femme a versé et versé l'huile de son vase. Mais malgré toute l'huile qu'elle versait, Dieu a gardé son vase plein d'huile !

Élisée lui a dit de vendre l'huile pour gagner beaucoup d'argent.

2 ROIS 4

C'est Dieu qui a montré à Élisée comment aider les autres. Qui peut aider ta famille ?

Élisée voyageait de ville en ville.
Il était l'homme de Dieu
à différents endroits.

Un homme et une femme
l'invitaient toujours chez eux.
Un jour, leur fils est mort.
Mais quand Élisée a prié,
Dieu a rendu la vie au garçon !

2 ROIS 4

*Y a-t-il quelque chose qui soit
impossible à Dieu ?*

 121

Naaman était le soldat le plus important du roi. Mais sa peau était malade.
Une fillette a dit qu'Élisée, l'homme de Dieu, pourrait guérir Naaman.

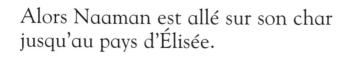

Alors Naaman est allé sur son char jusqu'au pays d'Élisée.

Élisée a dit à Naaman de se laver sept fois
dans le Jourdain. Dès qu'il l'a fait,
Dieu l'a guéri !

2 ROIS 5

*Parle d'une fois où tu étais malade et où Dieu
a montré à un docteur comment t'aider.*

Le roi Joas voulait
que la maison de
Dieu soit belle.

Les gens ont apporté
leur argent
à la maison de Dieu.

Avec l'argent, on a acheté du bois et des pierres.

Et on a payé les
travailleurs qui ont
de nouveau rendu belle
la maison de Dieu.

2 ROIS 12

Veux-tu donner un peu de ton argent à Dieu ?

Dieu a dit à Jonas d'aller à Ninive. Mais il a pris un bateau pour aller ailleurs. Alors Dieu a envoyé une tempête.

Jonas a été jeté hors du bateau. Un immense poisson l'a avalé.

Après trois jours, le poisson l'a rejeté. Alors
Jonas est allé là où Dieu le voulait.

JONAS 1-2

*Remercie Dieu de t'aider
à faire ce qu'il veut.*

Ézéchias était un très bon roi.
Il obéissait toujours à Dieu.
D'autres rois avaient adoré
de grandes idoles en or
qui ressemblaient à des gens
ou à des animaux.

Le roi Ézéchias et ses aides ont
brisé les idoles.
Le roi savait que les idoles
n'étaient que de faux dieux.

2 ROIS 18

Qu'est-ce qui a fait d'Ézéchias un bon roi ?

Le roi Josias désirait faire
le bien. Mais il ne connaissait
pas les règles de Dieu.
On les avait perdues
depuis longtemps.

Quand on a
retrouvé ces
règles, quelqu'un
les a lues
à Josias.

Le roi était triste de ne pas avoir obéi aux règles de Dieu. Alors il a demandé à Dieu de lui pardonner. Et Dieu l'a fait.

2 ROIS 22

Comment peux-tu savoir ce qu'il est juste de faire?

Jérémie disait au peuple
les messages de Dieu.
Les gens ne
voulaient pas
écouter
Jérémie.

Ils l'ont jeté
dans un trou
profond pour qu'il
ne puisse plus leur
dire les messages
de Dieu.

Mais le roi a ordonné de faire sortir Jérémie du trou.

JÉRÉMIE 38

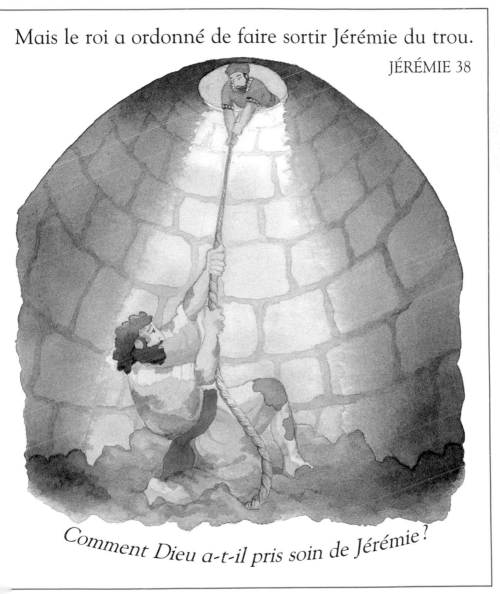

Comment Dieu a-t-il pris soin de Jérémie?

Daniel et ses trois amis vivaient dans un pays très loin de chez eux.

Ils aimaient Dieu et désiraient toujours lui obéir. Alors Dieu a fait d'eux des sages.

Ils donnaient de bons conseils au roi. Ils pouvaient toujours lui dire la meilleure chose à faire.

DANIEL 1

Qui peut faire de toi un sage?

Le roi a ordonné à son peuple de
faire une statue géante qui lui
ressemblait. Il a dit que chacun
devait se prosterner et l'adorer.

Les amis de Daniel ne voulaient
pas le faire. Ils ont dit qu'ils
voulaient adorer Dieu seul,
même si le roi les punissait.

DANIEL 3

*Pourquoi les amis de Daniel n'ont-ils
pas voulu obéir au roi?*

137

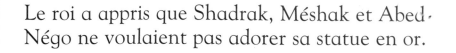

Le roi a appris que Shadrak, Méshak et Abed-Négo ne voulaient pas adorer sa statue en or.

Alors il a donné l'ordre de les jeter dans un feu brûlant.

Soudain, le roi a vu quelqu'un d'autre dans le feu. C'était un ange, envoyé par Dieu pour protéger les trois hommes.

DANIEL 3

Pourquoi les hommes n'ont-ils pas été blessés par le feu ?

Un soir, le roi donnait une grande fête.
Soudain, chacun a vu une main écrire des
mots sur le mur.

Le roi a eu peur. Il a demandé à Daniel
ce que les mots signifiaient. Daniel a dit
que c'était un message de Dieu pour
l'avertir qu'il ne pourrait plus être le roi.

DANIEL 5

Pourquoi le roi avait-il peur ?

Daniel aimait prier Dieu. Mais le roi a dit :
« Ne prie pas Dieu. Prie-moi à la place ! »
Daniel savait que c'était mal,
alors il a continué
de prier
Dieu seul.

Les hommes du roi
ont jeté Daniel
dans une fosse avec
des lions affamés.

Mais Dieu a envoyé un ange.
L'ange a empêché les lions
de blesser Daniel.

DANIEL 6

Pourquoi les lions n'ont-ils pas blessé Daniel?

Esther était une belle reine.
Elle était juive, mais le roi
ne le savait pas.
Il a signé une loi pour que
tous les Juifs soient tués.

La reine Esther a eu peur, mais elle
était courageuse. Elle a demandé
au roi de sauver son peuple.
Alors le roi a signé une nouvelle loi
pour aider les Juifs.
ESTHER 5-8

*Pourquoi le roi a-t-il décidé
d'aider les Juifs?*

Le peuple de Dieu a construit
un superbe bâtiment où
ils pouvaient l'adorer.

Ils ont travaillé dur parce
qu'ils voulaient faire plaisir à
Dieu. Ils désiraient un endroit
spécial pour prier.

Dieu est heureux
quand nous le prions
et l'adorons.
ESDRAS 6

*Est-ce qu'il t'arrive
d'oublier de prier?*

Le peuple de Dieu a travaillé dur pour construire la muraille autour de Jérusalem.

Ils ont remercié Dieu de son aide. Certains ont loué Dieu tout en marchant sur la muraille.

Quel jour heureux c'était !
Les gens étaient excités parce
que Dieu avait éloigné
leurs ennemis.

NÉHÉMIE 3, 12

*Peux-tu marcher et chanter
pour remercier Dieu ?*

Dieu a envoyé l'ange Gabriel dire
quelque chose de très important à Marie.

D'abord, Marie a eu peur.
Mais l'ange a dit : « Dieu veut que tu sois
la mère de son Fils Jésus ! »
Marie était d'accord de faire
tout ce que Dieu voulait.
Elle était très heureuse de devenir
la maman de Jésus.

LUC 1

Veux-tu faire tout ce que Dieu désire ?

Zacharie et Élisabeth étaient très vieux quand ils ont eu un fils.

Zacharie savait qu'il appellerait le bébé Jean, parce qu'un ange le lui avait ordonné.

Dieu a aidé Zacharie à savoir que son fils parlerait de Jésus à beaucoup de gens quand il serait grand.

LUC 1

Que peux-tu dire aux gens à propos de Jésus?

153

Marie et Joseph sont allés à la ville de Bethléem.

L'auberge était pleine, alors ils sont allés dans une étable avec les animaux. Le Fils de Dieu est né cette nuit-là. Marie a appelé son bébé Jésus.

LUC 2

Chante ta joie à Jésus !

 155

Pendant la nuit où Jésus est né,
des bergers gardaient leurs
moutons. Un ange est venu
leur dire qu'ils pourraient
trouver le bébé
Jésus dans une
mangeoire.

Soudain, des milliers d'anges sont apparus dans le ciel.

Ils louaient Dieu d'avoir envoyé Jésus comme notre Sauveur.

LUC 2

Tu peux aussi remercier Dieu pour Jésus!

Quand les anges sont partis,
les bergers ont dit : « Allons à
Bethléem voir ce bébé. »

Ils ont trouvé Jésus couché dans une
mangeoire, comme l'ange l'avait dit.
Comme ils étaient excités !
Ils racontaient à chacun la bonne
nouvelle. Ils louaient Dieu
tout en retournant à leurs champs.

LUC 2

Tu peux parler à chacun de la naissance de Jésus !

Siméon était vieux.
Il désirait voir
le Fils de Dieu
avant de mourir.

Un jour, Dieu
a dit à Siméon
d'aller au temple.
Là, Siméon a vu Jésus bébé!

Siméon a pris le Fils de
Dieu dans ses bras
et a remercié Dieu.

LUC 2

De qui Jésus est-il le fils?

Des sages ont suivi une étoile
spéciale dans le ciel.
Elle les a conduits à la
maison où vivait Jésus.

Les sages ont donné des cadeaux
à Jésus. Ils se sont mis à genoux
pour l'adorer. Ils savaient qu'il
deviendrait un grand roi.

MATTHIEU 2

*Tu peux aussi offrir un cadeau
à Jésus : dis-lui que tu l'aimes !*

Un ange a dit à Joseph que Jésus n'était pas en sécurité à Bethléem. L'Égypte était un lieu sûr pour Jésus. Alors Joseph, Marie et Jésus sont partis en Égypte pendant la nuit.

Joseph était content de
pouvoir prendre bien
soin du Fils de Dieu.

MATTHIEU 2

Qui prend soin de toi ?

Dieu a envoyé un ange à Joseph.
Il lui a dit qu'il pouvait ramener
Jésus dans son pays.

Joseph est parti d'Égypte avec sa famille.
Ils sont venus vivre
dans la ville de Nazareth.
Jésus est devenu un garçon fort et sage.
Il aimait ses parents,
et ses parents l'aimaient.
MATTHIEU 2, LUC 2

Demande à Dieu de t'aider à devenir fort et sage.

À douze ans, Jésus est allé au temple avec ses parents.

Les maîtres religieux étaient surpris de tout ce que Jésus savait sur Dieu.

Les maîtres ne savaient pas que
Jésus était le Fils de Dieu.
Pas étonnant qu'il en sache
autant à propos de Dieu !

LUC 2

*Où peux-tu
en apprendre
plus sur Dieu ?*

Jean-Baptiste était le cousin de Jésus.

Quand Jésus est devenu
grand, il a demandé à
Jean de le baptiser
dans le Jourdain.

Alors le Saint-Esprit est
descendu sous la forme
d'une belle colombe.

Et Dieu a dit à Jésus:
« Tu es mon Fils chéri.
Je t'aime beaucoup. »

LUC 3

Qu'a dit Dieu à Jésus?

Une nuit, un homme appelé Nicodème
est venu parler à Jésus.

Jésus a dit à Nicodème que Dieu nous
aimait tant, chacun, qu'il avait même
envoyé son Fils mourir pour nous.
Maintenant, ceux qui croient en
Jésus, le Fils de Dieu,
peuvent aller au ciel un jour.

JEAN 3

*Comment Dieu a-t-il montré
son amour pour nous?*

Jésus a choisi douze hommes comme disciples. Ils l'accompagnaient partout. Ils l'ont vu faire beaucoup de miracles, par exemple guérir des gens aveugles.

Jésus leur a appris qui est Dieu. Et il leur a parlé du ciel, où il vivait avant de venir sur la terre. Il était leur ami.
Tu peux aussi être l'ami de Jésus.

JEAN 1

Aimerais-tu être l'ami de Jésus ?

Jésus était fatigué après une longue marche.
Alors il a demandé de l'eau à une femme.

Il lui a dit qu'il pouvait lui donner
la joie pour toujours. Il lui a dit que Dieu
l'avait envoyé. La femme a cru cela et a
parlé de Jésus à tout le monde.

JEAN 4

Aimes-tu Jésus ?
Alors ta joie va aussi durer toujours !

Jésus est monté sur un
bateau avec des pêcheurs.
Ils avaient pêché toute
la nuit sans rien attraper.

Jésus leur a dit de réessayer.

Les hommes ont écouté Jésus, et ils ont pris plus de poissons que leurs filets pouvaient en contenir! Les pêcheurs étaient très surpris. Ils ont décidé de suivre Jésus.

LUC 5

Pourquoi les pêcheurs ont-ils suivi Jésus?

Jésus parlait à une grande foule. Quatre hommes désiraient que Jésus aide leur ami qui ne pouvait pas marcher.

Alors ils l'ont descendu par le toit.

Ils l'ont déposé devant Jésus.

D'abord Jésus a pardonné
les péchés de l'homme.
Puis il lui a dit de se lever
et de marcher,
et il l'a fait !

Tout le monde
a remercié Dieu !

LUC 5

Qu'a fait Jésus pour l'homme
qui ne pouvait pas marcher ?

181

Un autre homme était malade
depuis longtemps. Jésus lui a
demandé s'il voulait être guéri.

L'homme a répondu oui.
Alors Jésus lui a dit :
« Lève-toi et marche ! »
Soudain, l'homme a pu
se lever et marcher.

JEAN 5

Comment l'homme a-t-il été guéri ?

Un jour, Jésus s'est assis sur
le versant d'une montagne.

Une grande foule est venue l'écouter
parler de Dieu. Il leur a appris comment
aimer Dieu et vivre pour lui.

Jésus a dit que c'était ainsi qu'on pouvait vivre heureux.

MATTHIEU 5

Comment peux-tu vivre heureux?

Un soldat romain a demandé à Jésus
de guérir son serviteur malade.

Jésus a dit qu'il viendrait chez le soldat.
Mais le soldat croyait que Jésus pouvait rester là
et juste dire : « Sois guéri ! »

Jésus l'a fait. Et dès que Jésus a parlé,
le serviteur a été guéri!

MATTHIEU 8

Que pouvait faire Jésus, d'après le soldat?

Le papa d'une petite fille très malade
a supplié Jésus de venir guérir
sa fille.

Sur le chemin,
Jésus a appris que
la fillette était morte.

Jésus est quand même allé
chez elle. Il a dit:
«Lève-toi, mon enfant!»
La fillette s'est levée.
Elle était de nouveau en vie,
et en bonne santé.

LUC 8

Qu'a fait Jésus pour une fillette qui était morte?

189

Un homme était aveugle.
Il ne pouvait rien voir.

Ses amis l'ont conduit à Jésus.
Ils ont demandé à Jésus de toucher
l'homme et de le guérir.
Jésus a posé ses mains
sur les yeux de l'homme.
Soudain, il a pu tout voir clairement !

MARC 8

*Qu'est-ce que les amis de l'homme aveugle
ont fait pour lui ?*

Regarde les hautes vagues!

Le petit bateau des disciples était
près de couler. Jésus dormait tranquillement dans
le bateau. «Réveille-toi!» ont crié ses disciples.
Ils avaient peur.

Jésus s'est réveillé et a dit à la tempête de s'arrêter. Alors les vagues se sont calmées. Jésus peut faire des choses merveilleuses comme celle-là.

LUC 8

Quel ordre Jésus a-t-il donné à la tempête?

As-tu déjà essayé de marcher sur l'eau ? Bien sûr que non ! Jésus, lui, l'a fait.

Un soir, les disciples traversaient le lac en bateau. Soudain, ils ont vu Jésus marcher vers eux sur l'eau.

Ils ont hurlé de peur.
Mais Jésus leur a dit que
c'était lui. Il leur a dit
de ne pas avoir
peur.

MATTHIEU 14

*Pourquoi les disciples ont-ils
eu peur ?*

195

Jésus a emmené Pierre, Jacques et Jean au sommet d'une colline.

Soudain, son visage a commencé à briller, et ses habits sont devenus blancs comme la neige.

Ils ont vu Jésus parler avec Moïse et Élie, qui avaient vécu il y a longtemps.

Et une voix venant d'un nuage lumineux a dit :
« Jésus est mon Fils chéri.
Écoutez-le. »

MATTHIEU 17

Qu'a dit la voix venant du ciel ?

Une grande foule suivait Jésus.
Quand ils ont eu faim, il n'y avait pas
de magasins pour acheter à manger.

Un garçon a donné
son repas à Jésus :
cinq morceaux
de pain et deux
poissons.

Puis Jésus a transformé le pain et les poissons en des milliers de morceaux. Chacun a eu assez à manger. Il y a même eu des restes!

JEAN 6

Le garçon a donné son repas à Jésus.
Réfléchis : que peux-tu donner à Jésus ?

Une femme dont le mari était mort
n'avait que deux sous.
Au lieu de s'acheter à manger,
elle les a mis dans
la tirelire de l'église.

Elle l'a fait parce qu'elle aimait Dieu.
Jésus a dit qu'elle avait donné plus que les
riches. Elle avait mis tout ce qu'elle avait.
Mais les riches ne donnaient à Dieu
qu'une petite partie de leur argent.

LUC 21

*Que peux-tu donner à Dieu pour
lui montrer que tu l'aimes ?*

201

Des mamans ont amené leurs enfants
à Jésus. Elles voulaient qu'il les touche
et les bénisse.
Les disciples de Jésus ont dit aux
mamans de ne pas déranger Jésus.

Mais Jésus aimait les enfants.
Il les a appelés vers lui.
Jésus a dit que les enfants peuvent
croire en lui et l'aimer,
même quand ils sont petits.

LUC 18

Aimes-tu Jésus ?

Un homme avait été blessé par des bandits qui lui avaient volé son argent. Ils l'avaient laissé à moitié mort.

Un étranger l'a vu là.
Il a mis des pansements sur ses blessures.
Ensuite il l'a transporté sur son âne jusqu'à la ville.

Il a pris soin de lui. On appelle cet étranger
le bon Samaritain.

LUC 10

Comment peux-tu aider
quelqu'un et être un bon Samaritain?

205

Jésus aimait visiter deux sœurs,
Marthe et Marie.

Marthe travaillait dur dans la cuisine,
elle préparait le repas pour Jésus.
Marie désirait juste parler avec lui
et mieux connaître Dieu.
Marthe a grondé Marie de ne pas l'aider.

Mais Jésus a dit à Marie qu'elle avait raison de l'écouter. Nous écoutons Jésus quand nous lisons la Bible.

LUC 10

Comment peux-tu écouter Jésus ?

Un berger prend bien soin de
son troupeau la nuit et le jour.

Jésus a dit que nous sommes ses brebis.
Et il prend soin de nous tout le temps.
Il est le bon berger qui connaît
le nom de toutes ses brebis.
Tu es un petit agneau,
et Jésus connaît ton nom.

JEAN 10

Pourquoi Jésus est-il un bon berger?

 209

Marthe et Marie avaient un frère appelé Lazare. Lazare est tombé malade et il est mort.

Ses sœurs savaient que Jésus aurait pu le guérir. Maintenant, c'était trop tard. Lazare était mort.

Mais Jésus est venu à la tombe de Lazare et il a dit : « Lazare, sors. » Et Lazare est sorti de la tombe, de nouveau en vie !

JEAN 11

Comment Jésus a-t-il aidé Lazare ?

Dix hommes à la peau malade ont demandé à Jésus de les guérir.

Jésus leur a dit d'aller montrer à un prêtre que leur peau était guérie.

Pendant qu'ils y allaient, ils ont soudain été guéris.

Mais un seul homme est revenu
remercier Jésus. Jésus était étonné
que les autres ne lui aient
pas dit merci.

LUC 17

Pour quoi peux-tu dire merci à Jésus aujourd'hui?

Un homme avait deux fils. Le plus jeune
a demandé beaucoup d'argent à son père.

Puis ce fils est parti très loin.
Il a fait de vilaines choses.
Bien vite, il n'a plus eu d'argent.
Il est revenu à la maison et a dit
à son père : «J'ai eu tort.»
Son papa l'attendait et
a couru pour l'accueillir.
Il a embrassé très fort son fils.

LUC 15

*Comment le papa a-t-il montré
à son fils qu'il l'aimait encore?*

Les gens n'aimaient pas
Zachée. Il leur volait
leur argent.
Mais Zachée
voulait voir
Jésus.

Il était trop petit
pour voir derrière
la foule, alors il
est monté sur
un arbre.

Quand Jésus est passé,
il a regardé en haut et a dit à
Zachée : « Je viens chez toi. »

Après avoir rencontré
Jésus, Zachée a arrêté
de voler les gens.

LUC 19

Qu'a dit Jésus à Zachée ?

Un jour, Jésus est venu sur un âne
à Jérusalem.

Les enfants
chantaient combien
Jésus est merveilleux.

Beaucoup de gens agitaient des branches
de palmier. Ils remerciaient Dieu pour Jésus.
Ils désiraient que Jésus soit leur roi.

LUC 19

Dis à Dieu combien Jésus est merveilleux!

Un soir pendant le souper, Jésus a dit à ses disciples que c'était le dernier repas qu'il prenait avec eux.

Il savait que des soldats allaient l'arrêter cette nuit-là, et qu'ils le tueraient.

Jésus est mort pour toi et moi, afin que Dieu puisse nous pardonner le mal que nous faisons.

LUC 22

Pourquoi était-ce le dernier repas de Jésus avec ses disciples?

Après le souper, Jésus a emmené
ses disciples dans un jardin pour prier.
Jésus se sentait très triste.

Il savait que les soldats
arriveraient bientôt.
Il s'est mis à genoux et a prié Dieu de
l'aider. Ses disciples ne l'ont pas aidé :
ils s'étaient tous endormis !
Mais Dieu a envoyé un ange pour donner
de la force et du courage à Jésus.

LUC 22

Pourquoi Dieu a-t-il envoyé un ange vers Jésus ?

Judas était un disciple de Jésus, mais il n'aimait pas Jésus de tout son cœur. Des chefs lui ont donné de l'argent pour qu'il leur dise où trouver Jésus.

Judas a guidé les soldats pour arrêter Jésus.

Les autres disciples avaient peur. Ils n'ont pas aidé Jésus. Ils se sont enfuis.

LUC 22

Pourquoi les disciples n'ont-ils pas aidé Jésus ?

Pierre était un disciple de Jésus.
Il avait peur des soldats
qui avaient arrêté Jésus.
Alors il a dit à trois personnes :
« Je ne connais pas Jésus ! »

Plus tard, Pierre était triste
d'avoir menti.
Jésus lui a pardonné.
Après cela, Pierre voulait parler
de Jésus à tout le monde !

LUC 22

Qu'a ressenti Pierre après avoir menti ?
Qu'a fait Jésus alors ?

Les soldats ont conduit
Jésus devant un gouverneur
appelé Pilate pour le juger.

Pilate a décidé que Jésus n'avait rien fait de mal.
Il voulait le laisser partir. Mais les gens hurlaient :
« Tue-le, tue-le ! »

Ils ont crié de plus en plus fort,
jusqu'à ce que Pilate dise aux
soldats de faire cette
chose terrible.

LUC 23

Pourquoi *Pilate* n'a-t-il pas libéré Jésus?

Les soldats ont cloué Jésus
sur une croix en bois.
Ils ont cloué deux
bandits sur
des croix à
côté de lui.

Un des bandits regrettait
d'avoir fait le mal. Il a demandé
à Jésus de lui pardonner. Jésus était d'accord.

Jésus pardonne à tous ceux qui le lui demandent. Il veut te pardonner.

LUC 23

Que devons-nous faire pour que Jésus nous pardonne ?

Après la mort de Jésus, des amis ont déposé son corps dans une grotte.

On a fermé la grotte avec une grosse pierre pour que personne ne puisse entrer ou sortir.

Mais tôt le dimanche matin, Jésus est revenu
à la vie et est sorti de la tombe.
Il était de nouveau vivant !

LUC 24

Jésus est-il resté dans la grotte ?

Les amis de Jésus avaient de la
peine à croire qu'il était de
nouveau vivant.
Alors il leur a montré les marques
des clous à ses mains et à ses pieds.

Un jour, il est monté au ciel et a
disparu dans un nuage.
Il est retourné vers son Père
dans le ciel.
Un jour il reviendra
sur la terre !

LUC 24, ACTES 1

Où Jésus est-il allé ?

Après cela, les amis de Jésus ont
tenu une réunion. Soudain,
il y a eu un grand bruit.

De petites
flammes de feu se sont posées sur
leur tête, mais le feu ne les a pas brûlés.

Le Saint-Esprit de Dieu est venu vivre dans leur cœur. Le Saint-Esprit nous aide à croire en Jésus.

ACTES 2

Qui est venu vivre dans le cœur des amis de Jésus ?

Paul ne croyait pas
que Jésus était le Fils
de Dieu. Il a même
essayé de tuer ceux
qui croyaient en lui.

Un jour, une grande
lumière l'a aveuglé,
et il est tombé.

Puis il a entendu une voix.
C'était Jésus

Après cela,
Paul a voyagé
dans différents
endroits pour
parler de Jésus.
ACTES 9

Qui a parlé à Paul ?

Beaucoup de gens ont cru en Jésus
en entendant Paul prêcher à Damas.

Mais d'autres
voulaient le tuer.
Ils l'attendaient
à la porte de la ville.

Les amis de Paul l'ont
mis dans une grande
corbeille. Puis ils l'ont
descendu par terre
à travers un trou
dans la muraille.
Il était en sécurité.

ACTES 9

Comment les amis de Paul l'ont-ils aidé?

Un homme appelé Corneille
désirait mieux connaître Dieu.

Alors un ange
a dit à Corneille
où trouver Pierre.

Corneille a envoyé deux serviteurs
inviter Pierre à venir chez lui.

Pierre a expliqué à Corneille et à ses amis
comment Jésus pouvait pardonner leurs péchés.

ACTES 10

Qu'a expliqué Pierre à Corneille?

«Ne parle plus de Jésus aux gens!»
ont dit les soldats à Pierre.
Mais Pierre a continué.

Alors les soldats l'ont mis en prison
et l'ont attaché à deux soldats.

Mais cette nuit-là, un ange est venu dire à Pierre : «Viens avec moi!»

Les chaînes de Pierre sont tombées, et les portes de la prison se sont ouvertes. Pierre était libre !

ACTES 12

Comment Pierre est-il sorti de la prison ?

La maman et la grand-maman de
Timothée aimaient Dieu.

Elles savaient que Jésus les aimait
et était mort sur la croix pour que
Dieu puisse pardonner leurs péchés.
Elles avaient appris ces choses
à Timothée quand il était très jeune,
et il avait donné sa vie à Jésus.
Il avait dit à Dieu qu'il lui obéirait
toujours.

2 TIMOTHÉE 1

Qui a parlé de Jésus à Timothée ?

Paul a rencontré un groupe de femmes
qui priaient au bord d'une rivière.

Il leur a tout appris sur
Jésus, le Fils de Dieu.

Une de ces femmes était Lydie. Elle croyait en Dieu, mais n'avait jamais entendu parler de Jésus.

Après avoir entendu Paul, Lydie a aussi cru en Jésus.

ACTES 16

Comment Lydie a-t-elle entendu parler de Jésus?

Des gens ont jeté Paul et
Silas en prison parce qu'ils
prêchaient les paroles de Jésus.
Pendant la nuit,
ils ont chanté Dieu.

Alors Dieu a fait trembler
la terre. Les portes de la prison
se sont ouvertes et les chaînes
des prisonniers se sont brisées.

Le gardien a eu peur.
Paul lui a parlé de Jésus,
ainsi qu'à sa famille.
Et ils ont tous cru en Jésus.

ACTES 16

*Que s'est-il
passé après le tremblement de terre?*

Paul a rencontré
un mari et sa femme,
Aquilas et Priscille.

Ils fabriquaient
des tentes pour gagner
leur vie, comme Paul.

Il leur a tout appris sur
Jésus, le Fils de Dieu.
Et ils ont cru en Jésus.

Plus tard, Aquilas et Priscille
sont venus avec Paul
parler de Jésus aux gens
dans une autre ville.

ACTES 18

*Pourquoi Aquilas
et Priscille ont-ils
accompagné
Paul?*

Jean a été un des meilleurs amis de Jésus.
Quand Jean était très vieux,
Jésus lui est apparu dans une vision.
Il lui a parlé de ce qui allait arriver.

Voici la meilleure nouvelle :
Jésus reviendra un jour !
Alors tous ceux qui croient en Jésus
vivront avec lui pour toujours
dans le ciel.

APOCALYPSE 1

*Quelle est la meilleure nouvelle
que Jésus a dite à Jean ?*

Kenneth N. Taylor est l'auteur de la version anglaise de la célèbre Bible *The Living Bible* qui, révisée par un groupe de spécialistes, est devenue la *New Living Translation*. Ken et sa femme Margaret ont 10 enfants adultes et 28 petits-enfants. Il a ainsi personnellement parlé de Dieu à beaucoup d'enfants !

Dans ses livres, Kenneth N. Taylor fait partager sa passion pour l'Évangile aux enfants.